PARA PAPA

Un libro regalo
escrito por niños
para padres de
todo el mundo

EDICIONES 29 / CELINTER

Alison Wheeler, 8 años

Título original: TO DAD
Copyrigth by EXLEY PUBLICATIONS, Ltd.
Copyright de la edición en castellano
by EDICIONES 29, España
La presente edición es propiedad de
EDICIONES 29, Mandri, 41, Barcelona, 6
Impreso en España — Printed in Spain
Depósito legal: CO-768-1977
ISBN: 84-7175-131-3
Traducción: Alfredo y Nora Patron
Dibujo de la cubierta: Ruth Furber, 7 años
Dibujo de la contracubierta: Annette Nielsen, 12 años

Impreso en Graficromo, S.A-Polígono las Quemadas. Córdoba.

Ediciones 29, n.º registro, 688

Cuando mi padre viene del trabajo la casa se llena de alegría.

Thomas Telford, 11 años

Los padres son más graciosos que las madres, creemos. Especialmente después de leer lo que los niños tienen que decir de ellos. El cariño es tan profundo, que se observa hasta en los párrafos más graciosos. Pero, ¡es tan divertido estar con los padres y les gusta tanto reírse y que se rían de ellos!

Tuvimos casi 5.000 definiciones para este libro, enviadas por colegiales de todo el mundo. Los textos trataban sobre padres que iban al campo tranquilamente, dos horas antes del desayuno. Trataban de otros padres que marchaban a un mundo de computadoras. Trataban sobre padres trabajadores y padres intelectuales. Pero más que nada trataban sobre padres buenos que juegan, quienes, sin importar lo preocupados u ocupados que estuviesen, siempre tenían tiempo para dar una lección de vida o simplemente jugar. Estos muchos padres venían de Gran Bretaña, Estados Unidos, India, Australia, Nueva Zelanda, Trinidad, Jamaica, Dinamarca, Irlanda, Francia, Alemania, Holanda, Italia, **España**, Suiza, Chipre, Egipto, Israel, Turquía, Arabia Saudí, Sudáfrica y Nigeria. Estamos profundamente agradecidos a las docenas de colegios que contribuyeron a la recopilación del libro y a todos los niños que hicieron de éste un trabajo agradable.

No hemos sido exigentes a la hora de escoger los textos que debían componer el libro, porque a veces diez niños decían casi lo mismo de sus padres. Esperamos que todos aquellos niños cuyos textos no han sido elegidos, se den cuenta de que otros han dicho lo que ellos querían decir.

Así que para ti, padre universal, las «Gracias» de parte de los niños de todo el mundo. Y si el libro te lo regala tu propio hijo, estamos seguros de que él o ella hubieran querido decirte algunas de estas cosas − ¡Si no te las han dicho ya!

LOS EDITORES

¿Qué es un padre?

Los padres son gente a la que no se puede poner motes sin recibir un cachete.

Peter Smith, 9 años

Los padres son el tipo de personas que dicen «el dinero no crece en los árboles», y «es muy pronto para pensar en Navidad».
A veces juegan contigo pero casi siempre están sentados en su estudio resolviendo problemas.

James Donaldson, 10 años

El padre proverbial que espera que hagas algo mal con una zapatilla en la mano, desapareció hace tiempo. Hoy en día los padres no son así. Son estrictos, pero buena gente.

Trevor Burgess, 12 años

En el mundo loco de la televisión, la gente parece creer que los padres son cosas graciosas que viven en botes de pintura y que saltan arriba y abajo sobre las mejores mesas de comedor cantando sobre *Ojodepájaro Superratón*. De hecho no lo hacen. Son gente real y perfectamente cuerda que te zurrarían si trataras de hacer lo mismo.

Guy Hannaford

Los padres deben ser tratados con respeto porque nos soportan.

A. Wotherspoon, 12 años

Los padres son gente a la que hay que tener pero que a veces deseas que no estén ahí.

Andrew

Un padre es alguien que intenta enseñarte a jugar a fútbol aunque seas una niña.

Jane Moppel, 12 años

Las madres se ponen vestidos para cubrir sus calzones y sujetadores. Los padres se ponen pantalones para cubrir sus slips.

Timothy

Un padre es
una madre hombre
pero que al contrario
que una madre
no está siempre al
teléfono.

Clare Dawkins

Un padre es un león—rey de la selva;
Un padre es un ratón—frecuentemente atacado por un
gato, comúnmente conocido como madre;
Un padre es un zorro—que caza a su desesperada e
inocente víctima—su hijo;
Un padre es un cordero—que se aparta de la
sociedad familiar;
Un padre es un perro—no el mejor amigo del
hombre— que da órdenes ladrando;
Un padre es una zanja—un devorador de comida, por
encima de toda ración;
Un padre es un conejito de indias—el tonto que se
atreve a probar los guisos de su angelical hija;
Un padre es una cabra, una víctima—regularmente
obligado por sus hijos a cargar con cualquier culpa;
Un padre es una pulga—¡El primero en escapar cuando
la suegra llega!
Un padre es un burro—el inocente que soporta la
carga de otros;
Un padre es un gorrión—¡Tan común!
Un padre es... ¿Humano?

Jeremy, 14 años

A los padres les gusta pensar que son responsables, sumisos, ordenados y sagaces, y procuran convencer a sus hijos de esto.

Julia, 12 años

El hombro de un padre es un lugar en el que sentarse cuando hay una muchedumbre que no te deja ver.

Jacqueline Small

Los padres son gente que puede dormir en cualquier sitio. Papá siempre te pregunta cómo te ha ido el colegio. A papá no le gusta que le molesten mientras escucha las noticias de la tele.

Chris, 9 años

A los padres siempre se les pone el pelo gris antes que a las madres.

Steven, 10 años

La mayoría de los padres nunca recogen lo que desordenan.

Louise, 10 años

Los padres suelen llevar una zapatilla en la mano para los niños malos como mi amigo.

Simon, 9 años

Un padre es alguien que tiene las uñas de los pies horribles.

Lois, 11 años

Un padre es un hombre que intenta parecer guapo para conseguir una señora, casarse con ella y tener hijos también.

Brenda Newman, 12 años

Un padre es una persona que te deja hacer cosas que se supone que no debes hacer. *Simon Cargill, 11 años*

Un padre es una persona que está detrás de los periódicos cada Domingo.

Wendy

Un padre siempre empieza una pelea y, entonces, cuando nosotros empezamos a pelear contra él, siempre se enfada, pero no por mucho rato, porque le hacemos cosquillas.

Steven, 10 años

Papá es el que me regaña.

Simon, 10 años

Darren Eaton, 9 años

Mi padre ve Kojak y Cannon porque son más gordos y calvos que él.

M. Wickham-Jones, 13 años

Bilge, 13 años

Calvo

Los padres son a veces delgados por arriba y algunos son tan calvos como el trasero de un bebé.

Dave Clark, 14 años

Como mi padre está tan calvo, dice que su pelo bajó hasta la mandíbula para formar una barba.

Mark, 13 años

Mi padre es calvo, si no lo fuera no le querría ni la mitad de lo que le quiero.

K. Hosford, 15 años

Thomas, 8 años

De todas las formas y tamaños

Los padres llevan calcetines para que no podamos ver sus piernas peludas.

Sara Beesley

Los padres llevan pelucas para tapar su pelo espartoso.

Sean, 8 años

Mi padre suele llevar un jersey verde viejo con agujeros en los codos. Dice que estos agujeros están ahí para que los codos puedan respirar.

Rebecca Skett, 11 años

A mi padre le gusta la ropa cómoda, como las viejas camisas de pana o toalla, pero no se ve muy arreglado, así que tenemos que vestirle con ropa respetable.

Emma, 10 años

Mi padre es alto y grande por fuera. Sus ojos están desorbitados pero cuando está contento vuelven a su sitio.

Helen Francis, 7 años

Karen Murray, 10 años

Neil King, 9 años

David Royffe

Algunos son grandes y fuertes,
algunos son pequeños y gordos
algunos son delgados y otros son gruesos
¡Qué padres tan graciosos tenemos!

Mi padre es un poco calvo,
mi padre es gordo,
mi padre no es viejo;
bueno, no del todo.

Jane, 11 años

Mi padre es muy goloso,
y quiero decir muy goloso
¡Le han sacado todos los dientes!

Lisa, 10 años

Janice Jones

Paul Lowe, 7 años

*Christopher
Pearson,
8 años*

Victoria

Brigitte Corbett, 6 años

11

Detrás del volante

Los padres conducen muy deprisa y les multan.

John, 12 años

Los padres siempre cuidan mucho sus coches brillantes, y parece que sus mujeres los arañen.

Emma, 10 años

Los padres piensan que son los mejores conductores del mundo. Suelen hacer comentarios sobre la forma de conducir que tienen las madres. Generalmente las madres tienen razón porque son naturalmente prudentes y los padres tienen que presumir. Por favor, no piensen que soy partidaria del movimiento de liberación de la mujer, nada más lejos de la verdad. De todos modos cuando yo conduzca lo haré siempre bien.

Ovenden, 14 años

Mi padre constantemente encuentra fallos en la forma de conducir de mi madre. A la derecha, a la izquierda, vas muy deprisa y muy despacio. Pero cuando él conduce comete los mismos errores.

Farhad, 8 años

Dalton, 9 años

Camino del bar

Si mi padre ve un anuncio que dice «¿Fuma usted?», responde con orgullo «No, nunca he fumado», y yo contesto «Bebe lo que no fuma».

David

Cada noche mi padre va al bar a beberse una jarra de cerveza y mi madre se enfada bastante. Tiene un coche Renault 12 de color azul claro. Creo que su «hobbie» es beber y conducir.

Sandra, 11 años

Un padre es alguien que va al bar muy a menudo. Cuando está allí bebe, y juega al dominó y a los dardos. A veces llega a casa borracho y cantando nanas.

Mark

Un padre es una persona que se bebe unas cuatro jarras de cerveza, y al día siguiente le duele la cabeza.

Mark, 10 años

Stuart

Pobrecito Papá...

Los padres son buenos trabajando en el garaje y chapuceando la casa.

Joanne, 11 años

Si algo está desordenado, sabes que Papá está en casa. Si crees que hay algo a prueba de tontos, no conoces a mi padre.

Lisa, 10 años

Siento no hablar en términos familiares con mi padre pero nuestras ideas no coinciden: ¡Las suyas están anticuadas!

Rosalba, 14 años

Papá es el tipo de persona que intenta resolver un problema y tarda mucho en lograrlo.

Jane

Mi padre siempre sabe dónde ir el Domingo: ¡El día siguiente!

Marilena, 14 años

Papá es la persona que va a arreglar el coche, pero que al final lo tiene que llevar al taller para que lo reparen.

Peter

Mi despistado padre me suele llamar por el nombre de mi tía y me dice que me lustre la ropa y me planche los zapatos.

Si le pregunto si puedo ir a un viaje, campamento o excursión inmediatamente me dice que no, entonces me alegro porque estoy seguro de poder ir. Pero una vez que me contestó que sí me quedé confundido.

Poorna, 15 años

Uno de los mayores placeres de mi padre es el cricket. Juega en un equipo local durante el verano. Pierde la pelota con un estilo que no he visto nunca.

David

Papá es viejo
Papá es listo
mantiene su aprendizaje en secreto.
Yo estoy aprendiendo más y más que Papá porque él no
estudió gráficas parabólicas cuando era muchacho.

Simon, 10 años

Realmente no sé por qué
Papá cree que lo sabe todo
cuando le pregunto 7 × 7
¡Dice 56! Está chiflado.

Vanessa, 10 años

Mi padre intenta jugar al golf,
intenta esquiar,
intenta jugar al rugby,
pero hasta ahora nunca ha tenido suerte.

Philip, 12 años

Mi padre es fuerte.
Siempre está haciendo algo.
Se golpea el pulgar con el martillo,
una vez se golpeó
y tuvo que ir al hospital.

Karen, 8 años

Papá hace tus deberes de francés mal.
Papá duerme en su sillón todo el domingo.
Papá es alguien que intenta explicarte cómo
se cayó la estantería de la cocina.
Papá arregla el coche y luego tiene que llevarl
al garage a que lo reparen.
Papá tenía que andar cinco millas para ir al colegio
cuando era joven.
Papá casi fue seleccionado para el equipo inglés.
Papá siempre está hablando de cómo va
a hacer que le instalen paneles solares.

David

Theodore Thomas

El jefe

Mi padre cree que él es el jefe. Yo también. No es justo: mi padre se lleva la mejor comida, y el mejor postre le gusta a mi padre.

Mi padre me tira sus calcetines sucios.

Michelle, 10 años

Me gusta mi padre porque él gobierna la televisión y la gobierna bien.

Rowan Ellis, 7 años

Los padres suelen ser muy estrictos y esperan que uno salte cuando le hablan.

Kevin, 12 años

Los padres son gente que hay que respetar y obedecer. Digan lo que digan hay que, primero, no desobedecer, y segundo, respetarlo y hacerlo con entusiasmo como si se desobedeciera.

Christopher Hollingshurst, 12 años

Si no fuera por mi padre no habría disciplina y sería muy aburrido.

Tony Martin, 12 años

A todos los padres les gusta escuchar la radio, y a la mayoría le gusta leer. Si su mujer quiere leer se suelen poner impacientes, pero si ellos quieren leer no permiten que su mujer se ponga impaciente.

Margaret, 10 años

Mi padre es bastante estricto, se enfada porque está cansado y harto.

John, 9 años

Los padres deberían ser todos estrictos y no mimar a sus niños. Los padres son, en teoría, los dueños de la casa, el coche y las bicicletas. La mayoría de los padres son más severos que las madres aunque nos gustan por igual.

Susan Abbott, 10 años

Cuando algo va mal, Papá es completamente imparcial y me echa la culpa a mí.

M. Haworth-Maden, 12 años

Thomas, 8 años

Daddy Age 44

Perezosos

Un padre es alguien que dice que hará algo en otro momento, pero ese momento nunca llega.

John

Mi padre tiene un gracioso «hobbie» que creo que es ser perezoso.

James, 8 años

Mi padre es perezoso porque siempre se sienta sobre su trasero.

Billie, 6 años

Los padres nunca trabajan a no ser que las madres les obliguen.

David, 12 años

Mi padre cree en que cada uno ha de hacer su parte del trabajo. Así que cuando entramos en la sala de estar después de haber cortado el césped, le vemos tumbado en el sofá viendo la televisión.

Julie, 11 años

Cuando mi madre sale mi padre tiene que ir a casa de su madre a comer.

Jason, 9 años

¡Un padre es alguien que terminará de hacer un armario en el año 2000!

Joyce Blair

Algunos padres típicos dicen
«Arreglaré la puerta mañana.»
«Pero la ferretería está cerrada.»
«Pero la escalera está rota.»

Genevieve   *Orsini, 13 años*

Michael Hellicar, 8 años

En honor a los padres

¡En mi opinión un padre es una persona MUY IMPORTANTE en su familia!

Laura Antonucci, 11 años

Mi padre es realmente pacífico: ¡Si el mundo cayera no se sorprendería!

Lorena Checoni, 11 años

Lo que más me gusta de mi padre es que está orgulloso de mí cuando me porto bien en clase, incluso si saco notas bajas está orgulloso de mí. Por eso le quiero.

A. Bissessarsingh, 10 años

Si yo no tuviera a Papá creo que el mundo sería negro. Siempre me ayuda con mis multiplicaciones.

Darrell James, 11 años

Los padres te quieren más que nadie.

Claire Powel, 9 años

Padre

Alguien a quien yo
puedo acudir cuando
estoy enfermo
preocupado
equivocado
alguien que
puede decirme la
solución
de la vida
y
el progreso;
y darme
esperanzas
para seguir.

Helen Holm, 10 años

*Ali Abbas
Hanif 8 años*

21

Gracias al cielo por los padres

Los padres te suelen preguntar si has tenido un buen día en el colegio o dónde has estado. Son gente muy ocupada pero nunca tan ocupada como para no darte un beso.

Katherine Rule, 9 años

Gracias a Dios alguien inventó a los padres.

C. Mathews

Mi padre a veces hace un pollo muy bueno. Mi padre me dice que me quiere mucho. Papá nos hizo una pecera. Mi padre es carpintero. Papá hace todos los armarios. Papá me hizo una casita de muñecas y es muy bueno conmigo. Papá me compra caramelos cada día y yo le quiero mucho.

Barbara Webb, 9 años

Me gusta mi padre por que siempre está listo para escucharme y ayudarme con mis problemas, grandes o pequeños. Me cuida y me trata bien. No duda en darme algo cuando se lo pido. Mi madre me ayuda cuando hago algo difícil, y siempre me siento segura. A veces, cuando se enfada frunce el ceño y yo inflo la boca, pero después vuelve a ser el mismo. Creo que mi padre es mi mejor amigo, aun cuando estoy en dificultades, y me gusta mucho.

Maltie Maraj, 11 años

Mi padre es muy gracioso y muy agradable. Cuando vuelve a casa del trabajo y está cansado, se anima tan pronto como nos ve.

Nadia Caraccio, 12 años

En serio, creo que los padres son una de las ayudas más importantes que puede tener un niño. ¿Usted no?

A. McAuilhin

Querido Papá. Es adorable.

Antigoni Kalodiki, 14 años

Katy Low

Quiero que todo el mundo sepa que mi padre es muy simpático y muy bueno conmigo.

*Sharon Chapler,
10 años*

Las verdades de la vida

¿Quién deja que le ayude a arreglar la rueda del coche?
¿Quién me mostró cariño cuando crecía?
¿Quién me enseñó el camino correcto a seguir?
¿Quién me suavizó las dificultades?
Este homenaje lo dedico a mi padre.

Michelle Ellery, 13 años

Mi padre me ha enseñado a pensar, antes de ir a la cama, sobre los progresos logrados durante el día. Siempre nos anima a que leamos más libros, incrementemos nuestros conocimientos y vocabulario y enriquezcamos nuestro lenguaje. Su dicho favorito es «Servir a los demás antes que a uno mismo», y me ha enseñado: «Primero hazte merecedor y después desea».

Amitabh R. Shah

Cuando no voy al colegio por la tarde y mi padre no tiene trabajo, hablamos mucho. Incluso cuando está cansado está dispuesto a escuchar mis problemas y siempre sabe cómo aconsejarme.

Barbara Frasca, 11 años

Mark Farrell

Taly Schazan, 8 años

El que gana el pan

Un padre es una de las personas más importantes de la familia porque gana dinero para mantener a la familia. Eso quiere decir que un padre es alguien que te cuida. Un padre es una cosa de la que dependes.

Simon M. Leese

Un padre es un hombre que va a trabajar. Y trabaja todo el día. Y espera llegar a su casa y ver a su familia. Trabaja duro todo el día para ganar mucho dinero que traer a casa para poder pagar los impuestos y pagar todas las cosas que una familia necesita.

Amanda Wilcock, 8 años

Después del desayuno se va a hacer lo que ha de hacer por nosotros. No sé lo que hace, pero por la tarde, cuando llega a casa se le ve cansado. A veces llega a casa a la hora de comer, y la charla es sobre sus encuentros con gente extraña hablando de cosas extrañas. La necesidad de dinero, y los que sufren por culpa del gobierno. Terrenos expropiados, o rentas no pagadas.
Esto ocurre durante la semana, pero en el fin de semana es distinto. Los mismos ojos brillantes en la misma cara, su pelo negro brillando al sol. Se va a navegar, uno de sus placeres, y pasa el día con amigos y ejercicio. Siempre ha cambiado después de un descanso.
A pesar de su trabajo de oficina, es alguien que siempre estará contigo.

Douglas, 12 años

e Cummins, 10 años

Julie Bonsier,
9 años

Arielle Griffiths, 8 años

Francis Price, 9 años

Guy Miller, 8 años

Los padres son muchachos que trabajan todo el día,
mantienen a su familia con su paga;
algunos son bajos,
algunos son altos;
ayudan y son buenos en todos los sentidos,
haciendo su trabajo día a día.

Denise Howie, 14 años

La vida sin ellos

Me dan pena todos los huérfanos del país que no tienen un padre que les cuide.

Brian Whitney

No sé lo que haría sin mi padre; no tendría regalos de Navidad. No tendría regalos de cumpleaños. No tendría comida. No tendría protección. No tendría vivienda. No tendría nada.

John Seane, 9 años

Tenemos suerte de tener un padre. Sin padre no tendríamos comida ni hogar. Si la gente no tuviera niños Inglaterra no tendría gente, ni Rey, ni Reina.

James Lewis

Realmente creo que los padres son pesados ¡Pero son imprescindibles!

Paul

David Fraser

Sarah Galant

Carolin
Greenwo
7 año.

Una madre muy feliz
un padre muy feliz
es lo que mas se pa-
rece a una FAMILIA

Tracy Hampton,
6 años

30

Papá no está

    Mamá se va tranquilamente a la cama,
empiezo a pensar en las lágrimas que derrama.
Papá se ha ido y estamos solos.
Y no volverá hasta dentro de seis meses.

Papá está en viaje de negocios,
la casa está completamente desordenada.
Mamá no parece preocuparse,
de la casa o de lo que se va a poner.
Es muy bonita mi madre,
pero se ve desarreglada llevando las camisas de él.
Me gustaría que se arreglase.

Papá viene a casa mañana,
ahora ya no habrá más tristeza.
Es bonito ver a mamá feliz otra vez,
puedo ver un cambio tremendo.
Tenerle en casa es estupendo.

Angela, 15 años

James Beasley,
7 años

Grande, fuerte y bueno

Los padres son grandes y fuertes y buenos.

Aine Hunt, 11 años

P-A-P-A, P-A-P-A. Todo niño necesita mucho amor, atención y saber que alguien le cuida.

J. Stevens, 14 años

Papá me ayuda en mis dudas y temores.

Rut James, 11 años

El padre es la primera persona que ayuda al niño en sus dificultades. Así como el soporte de un anciano es el bastón, el soporte de un niño son su padre y su madre.

Sandeep Sampat, 15 años

Un padre es alguien que cuando viene del trabajo y está cansado todavía te escucha cuando hablas. Un padre es alguien que te entiende.

Lois Looering, 11 años

Los padres son los que, cuando llega el día de la madre, compran un regalo y dicen que es de tu parte.

A. McAuilhin

Un padre es el soporte de una familia.

Paul Marshall, 12 años

Siempre me siento seguro con Papá.

Anne Fowka, 11 años

James, 6 años

Peter Frey, 10 años

¿Para qué sirven los padres?

Los padres sirven para dar dinero, ser mandones, jardineros, para pescar, disparar, y cualquier otro placer que se les ocurra; esto incluye dormir debajo del periódico y hacer ver que lo lee.

Deborah, 13 años

En casa un padre es muy importante. Es la persona que nos da dinero para que nos alimentemos y nos vistamos. Él puede decorar tu habitación, arreglar tu radio, hacer jaulas para tus animales, reparar un pinchazo en la rueda de tu bicicleta y ayudarte con tus matemáticas. Un padre puede ser muy útil para llevarte y traerte a las fiestas, clases de música y de baile. Un padre es una persona a la que se pide dinero. Él es el que se enfada por el rato que estás hablando al teléfono, pues él ha de pagar las facturas. Un padre es alguien que te apoya en las discusiones, si cree que tienes razón. Es el que lee las notas del colegio, y te trata bien si son buenas. A un padre le gusta llegar a un hogar feliz por la tarde, y acomodarse en un sillón con un periódico. Le gusta recordar sus tiempos en el Servicio Nacional. El día de tu boda es útil otra vez, pues le necesitas para ir por la nave a despedirte. Aunque los padres no lo demuestran, se preocupan de ti muchísimo.

Beverley Wilkins, 13 años

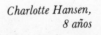

Charlotte Hansen,
8 años

Un padre ha de estar en casa con su hijo.

Robert McConchie, 12 años

Los padres son útiles, pero de otra forma,
no están para arreglarte el pelo
sino para resolver tus problemas.
Por eso están los padres.

Sarah Edworthy, 11 años

Un padre es:
Alguien que te lee un cuento para dormir
alguien con quien pelear
alguien que quema las tostadas
alguien que va al bar.

Sara, 9 años

Dalton Exley

Mi padre trabaja y mantiene la casa en funcionamiento. Te dice cosas que te hacen reír. Te compra cosas por Navidad. Te lleva a dar paseos por el campo para que pienses en cosas bonitas. Te pega y te enseña y te manda a la cama.

Darren, 9 años

Los padres sirven para ganar dinero y hacer que la especie humana continúe.

Susan Abbott, 10 años

Estar con Papá

Papá es de la mejor clase,
se sienta a ver la tele
y maravillosas son las tardes
cuando me siento en sus faldas.

Susan Harvie, 10 años

Como un niño pequeño, siempre recordaré a nuestra familia sentada junto al ruidoso fuego de la chimenea de la sala de estar, pendiente de mi padre que nos leía, las cortinas tapando la oscura noche.

Elisabeth Cowey, 13 años

Un padre es una persona a la que quieres mucho. Nunca se cansa de oír tus chistes.

Eduardo Vivo, 8 años

Mi casa está solitaria cuando mi padre no está.

Clara Ortega, 8 años

Richard de Cesare

Ferhan Kurtulumus 9 años

Padres de Kung-Fu

Me gusta mi padre porque se pelea conmigo.

Darren P. Griffin, 7 años

Mi padre me coge por la mitad, y dice uno, dos, tres. Hace ver que me va a tirar por la ventana, pero me tira a la cama. Mi padre corre escaleras arriba haciendo ver que es un monstruo.

Nicola Jane Hickson, 8 años

Cuando Papá me despierta me suelo esconder debajo de la colcha, porque pone su radio en mi oreja. Entonces me hace cosquillas y me pongo al revés.

Charles Dornton, 11 años

Me gusta mi padre cuando me peleo con él. Si no peleo le llamo viejo y me persigue por la casa y el jardín.

Stuart Hughes, 9 años

Mi padre es de los que practican el Kung Fu sobre mí y me saca de la cama con una llave de kárate. Cada día de fiesta coge a mi hermano mayor para enseñarme cómo dar patadas al trasero de mi padre.

Andrew Pinder, 10 años

Los padres son gente que pelea contigo pero sin hacerte daño.

Christine Johnston, 11 años

Harold, 9 años

Sábado por la mañana

Lo que me gusta de mi padre es que es suave y fácil de abrazar especialmente los sábados por la mañana. Siempre me arrastro por la cama hasta él y me pongo cómoda a su lado.

Suzanne Pinder, 12 años

Los sábados por la mañana Mamá es maravillosa. Salta de la cama (bueno, no salta exactamente), pero se levanta de la cama y baja a la cocina de puntillas, donde comienzan sus preocupaciones, huevos con «bacon», salchichas y tomate, riñones (en situaciones especiales), tostadas y una taza de café, nada se quema (normalmente).

Mientras tanto Papá todavía duerme, pero como siempre su bienestar se ve interrumpido por nrsotros cuatro saltando sobre su cama esperando que nos cuente una de sus fabulosas historias. Encuentro que las historias de Papá son maravillosas, son excitantes, aterradoras, entretenidas, pero sobre todo imaginativas. Es muy bueno contando historias (hechas por Papá), pero siempre para cuando hay un olor a desayuno, me pregunto por qué. Papá (supongo), es paciente, duro y sobre todo fantástico. Nos protege a todos igual que un pastor protege a su rebaño (bala tanto que parece que ronca). Es alto, oscuro y guapo y aunque no está gordo come bastante. Mamá nunca come nada (lo guarda todo para Papá), lo cual le gusta.

No sé dónde estaría si mi querida madre y mi querido padre no estuviesen a mi lado.

Belinda Scarborough, 12 años

Graham Weiss

¿Sólo un niño grande?

Cuando monto mi tren, mi padre coge los mandos, y yo tengo que ocuparme de lo demás. Pero mi padre tiene cosas buenas, me deja coger los mandos 5 minutos, antes de ir a la cama.

Nigel, 10 años

Los padres saben lo que es ser niños y saben lo que tramamos cuando llamamos a la puerta y nos escondemos.

Dave, 14 años

Mi padre juega muy bien al Monopoly. Hace las reglas conforme va jugando.

Fraser, 11 años

Cuando el Leeds gana un partido se levanta gritando «Yippee» o «Yahooh» o «Yahay».

Sophia Davies, 11 años

Jesper Vaver, 9 años

Mi padre es un niño grande porque siempre quiere leer mis tebeos.

Carl, 8 años

Witney King

Diversión y juegos

Mi padre se tumba en el suelo y yo y mi hermana nos subimos encima.

Susan Lamb, 5 años

Mi padre es brillante pero también perezoso porque se queda en cama cuando yo me levanto. Me gusta que mi padre se tumbe en el suelo porque cuando no mira me siento en su barriga y le achucho pero dice que no le duele.

Amber McDonald, 10 años

William Brown, 10 años

Un padre juega contigo y hace ver que pelea contigo.
Un padre te da dinero.
Un padre te ayuda a hacer cosas.
Mi padre juega con mis soldados.
Mi padre nos lleva por ahí.
Papá descorcha las botellas.
Papá compra mis regalos de Navidad.
Papá me lleva a navegar.
Papá me lleva de compras los días de fiesta y los fines de semana.
Papá me enseña cosas nuevas como sumar.
Papá es muy bueno conmigo.

Neil Wilson, 8 años

Un padre es alguien que el único día que no trabaja te lleva a nadar.

Elisabeth Fenton, 12 años

Andrew Green

Los padres tienen piernas peludas y grandes rodillas. Los padres juegan contigo y te suben a la espalda y te bajan y juegan al escondite contigo.

David Owen

Por la nieve los padres siempre te arrastran en el trineo, y practican grandes peleas de bolas de nieve. Si sales con tu padre puedes garantizar que te lo pasarás bien. Los padres siempre parecen hacerlo todo más divertido.

K. Abele

Papá puede ser muy juguetón. Cuenta chistes a los niños pequeños de la casa para mantenerlos contentos, y felices en vez de miserables. Eso es lo que me gusta.

Jemina, 7 años

Mi padre

Mi padre es un jefe. A mi padre le gustan el rugby y el fútbol. Papá es listo y fuerte, peludo, cariñoso y menudo.

Liam, 7 años

Los domingos por la mañana mi padre predica en la iglesia y no creo que sea tan bueno como para decir la verdad.

Sally, 11 años

Mi maravilloso, amoroso, generoso, sensato, listo y paciente padre posee todas las cualidades que acabo de enunciar.

T. Scott Norris, 12 años

Mi padre es una mesa redonda que despide fuegos artificiales.

David Beniston, 7 años

Mi padre es realmente bastante ordenado para ser un Ángel del Cielo.

Christopher, 12 años

Jeremy Solomon

Mi padre me recuerda a un roble: grande, robusto, viejo, bastante esplendido

David

Luengo

Las cosas que dicen los niños

Una vez mi padre se casó con una señora, cuyo nombre es Elaine. Entonces se fueron a la luna de miel y tuvieron un niño. Su nombre es Brian pero tuvieron otro bebé, cuando llegaron a casa. Era una niña pequeña. Su nombre era Sherry. Al cabo de unas semanas mi madre me tuvo a mí y me puso por nombre Rebecca.

Rebecca, 9 años

Me enteré de lo de Santa Claus cuando Papá tiró todos los juguetes por el suelo de madera delante de mi habitación y desde entonces sé porque mi madre deja cerveza para Santa Claus, y no leche.

Andrew Simpson, 12 años

Pero una cosa es que mi padre no pegará nunca a mi madre; dice que si un hombre pega a su mujer es que está un poco loco. Nosotros decimos que es que mi madre pega más fuerte que él.

Christopher, 14 años

Mi padre tiene algunas malas costumbres, Papá dice que Mamá tiene las llaves pero Mamá dice que no las tiene y Papá dice que las tiene y Mamá dice «Mira en tu bolsillo» y Papá mira en su bolsillo y las llaves han estado en su bolsillo todo el rato.

Tracery, 8 años

Mi padre tiene la costumbre de comprar chocolates para mi madre y comérselos él mismo.

Craig Cohen, 9 años

Tina Vowels, 5 años

Joanne Rudge

A mi madre le gusta tener bebés, pero a mi padre no le gusta tener bebés.

Paul, 8 años

Mi padre es gracioso tiene dientes postizos y cuando va a la cama los pone debajo y cuando mi madre se va a la cama los dientes postizos de mi padre le muerden y salta de la cama.

Mary, 7 años

Los nuevos padres siempre tienen una relamida expresión de auto-satisfacción como diciendo «¿No hemos hecho bien?», y les gusta que admiren sus logros. Pero una vez que su pequeño logro aprende a a) gritar incesantemente b) pedir dinero y tirar de los manteles—Como el hombre de la tele—Sus caras cambian a una expresión de «¡Cómo se nos ocurrió!»

Lorraine Phelps

Cuando yo sea padre

Los sábados los llevaría al partido de fútbol (Jugaría el Leeds Utd. claro), o al cine. Los niños no serían hinchas de otro equipo que el Manchester United y el Glasgow Celtic. Si son hinchas de una basura de equipo como el Leeds Utd. no tendrán regalos de cumpleaños ni de Navidad.

I. Dearnaley, 13 años

Los padres no deberían ser molestados u obligados y arrastrados a jugar a fútbol. A los padres se les debería tratar con cariño.

Gregory Hassall, 8 años

Daniel Chua,
9 años

Contando cosas...

Los padres de hoy parecen pasar la mayoría de sus ratos de lucidez diciendo a sus desafortunados hijos lo muy dura que era la vida en sus tiempos y sin embargo no pierden tiempo en hablar del estado en que se encuentra el país y empiezan a recordar los Buenos Viejos Tiempos.

Julia

«No gastes, no desees» es una frase que escapa a menudo de los labios de Papá, seguida de «Cuando yo tenía tu edad no tenía todo lo que tú tienes ahora», y «¡Niños!».

Lorraine

Todos necesitamos un padre
pero a veces nos aburrimos
cuando Papá cuenta
lo que hizo en la guerra.

Geraint, 12 años

Los padres siempre tienen razón, y aunque no tengan razón, nunca están realmente equivocados.

Catherine, 12 años

Sarah Gammen

49

Mi padre siempre está inventando historias sobre como mató a un león en África, o como saltaba por su ventana y se iba a nadar al Támesis. Un día me dijo que cuando la gente lleva pantalones estrechos se desatornillaba los pies para ponérselos. Algunas veces mi madre se harta de él.

Jane, 13 años

Nunca le haga preguntas a mi padre porque es tan listo que entra en detalles que no entiendo.

M. Wickham-Jones, 13 años

Siempre que estoy viendo una película, mi padre hace comentarios todo el rato diciendo «¡Qué tontería! No se puede matar a nadie a esa distancia con una pistola de mano». Durante toda la película hace comentarios como este. Se hace muy molesto. Después de todo, si es tan bueno haciendo películas, ¿por qué no se hace productor de cine?

Sarah

Un padre siempre está viendo el fútbol, murmurando sobre aquello que él podía hacer mejor cuando era joven.

Julia

Mi padre puede hablar y hablar sin que nadie le oiga.

Peter, 10 años

Cassidy, 7 años

En son de guerra

Cuando los padres pierden los estribos se ponen rojos, lilas y rojos otra vez.

Paula, 11 años

Papá algunas veces tiene un mal día, así que intentamos ser buenos y estar quietos.

Sally, 11 años

Cuando Mamá está de mal humor te grita. Pero cuando Papá está de mal humor, prepárate.

Simon, 11 años

Cuando mi padre está de mal humor es malo para la persona con la que está de mal humor.

David, 11 años

Cuando mi padre se enfada le da patadas a la calefacción central.
Cuando mi padre está de buen humor se va al bar.

Alex, 11 años

A los padres les crecen manos grandes para pegar a la gente. *Scott*

¿Un ejército de resistencia?

Yo pienso que los padres se pueden comparar a un gran ejército que tiene sus toques de corneta, pelo corto, entrenamiento y disciplina en general. Los hijos se pueden comparar a un ejército de resistencia con el pelo largo, toques no establecidos, que se rebela contra la dictadura del ejército grande, sin formación cultural, sin disciplina y con actitudes muy positivas a la hora de poner retrancas en las ruedas del ejército de ocupación.

Peter Visser, 15 años

Algunas veces los padres son estrictos sobre el comportamiento en la mesa, lo cual es un desastre porque no se puede comer sin: «Suénate la nariz» o «Come con la boca cerrada». Cuando encuentras un paquete de galletas después de buscar bien en el armario de la comida, te lo quitan y lo esconden detrás de la licuadora. Cuando tenemos una lata de leche condensada siempre cogemos, rápidamente, una cucharada pero Papá mete la cabeza por la portezuela del armario y nos coge.

Alison, 10 años

Mi padre es un hombre de la casa, mi padre puede decirte que hagas esto o que hagas lo otro.

«Stephen baja ahora mismo».

¿Comprende lo que quiero decir? El padre de la casa ha de tener lo que quiere.

Mi padre dice «Ven aquí, ve allá», creo que me está volviendo loco.

Stephen, 11 años

Si los padres son los generales de la casa, los hermanos mayores y las hermanas son los sargentos.

Timothy Robinson, 12 años

Stephen

«Súbete los calcetines, haz tu cama,
métete la camisa, córtate el pelo,
ordena tu habitación, cepilla al perro,
arréglate la corbata, límpiate los dientes,
quítate esos tejanos, están sucios,
¿Qué es lo que me has dicho?»

«Cierra las persianas, lava el coche,
saca al perro, límpiate los zapatos,
trae carbón, baja ese ruido,
una habitación ordenada es una mente ordenada,
siempre haciendo el vago,
¿Qué es lo que te he oido decir?»

«Apaga la luz cuando salgas de una habitación,
guarda tu ropa, corta el césped,
arregla esa ventana, poda esa parra,
el mismo leopardo tiene las mismas manchas,
¡No me hables de esa manera, insolente!»

Andrew, 14 años

Dinero

Los padres son como bancos móviles.

John, 11 años

No me dan mucho dinero. Yo creo que debería haber una ley que obligara a dar a los hijos 250 ptas. a la semana o si no a la cárcel. *Debbie*

Mi padre es un fanático de los deportes, especialmente del fútbol. Por la tarde si su equipo ha perdido está desanimado y descorazonado. Cuando gana rebosa alegría; este es el momento de pedirle las diez pesetas de más. *Fiona, 13 años*

Mi padre es policía y aun así roba dinero del bolso de mi madre. *Mandy*

Cuando mi padre vuelve del trabajo le gusta que le abrace y lo hago, especialmente los días que toca dar dinero. *Karen, 10 años*

Mi padre es extremadamente avaro con su precioso dinero y lo guarda en una bodega especialmente construida debajo de nuestra casa. El día que me dé mi dinero a tiempo será un día de fiesta. *Guy, 12 años*

Los padres no están para darte dinero si no para ayudarte, quererte y cuidarte. *David Harvey*

Cuando mi padre toma unas copas
hace eses por el camino y
me da un duro
y cuando está sobrio
dice, «¿dónde está mi duro?».

Gareth

Lincoln, 10 años

Me dan 60 ptas a la semana. ¿Cómo puedo vivir de eso con el presente porcentaje de inflación?

Stephen Munday

Judith Gracie, 10 años

Dolores que aumentan

Mi padre siempre me está gritando a mí y no a mi hermana pequeña y creo que no es justo. Mi hermana pequeña no parece pensar lo mismo que yo parece pensar que es justo claro las HERMANAS PEQUEÑAS son horribles.

John, 9 años

Los padres siempre están encima de una. Papá dice «Vete a la cama a las 8», cuando voy a las 8,15. Insiste en que la preparación esté bien hecha y siempre me está recordando que sea cortés.
OH PADRES.

Rebecca, 10 años

Otra cosa que encuentro aburrida es que cuando llego a casa Papá me pregunta como voy en el colegio. Como si yo supiera la respuesta a esta pregunta.

Richard, 12 años

Los padres siempre están buscando cosas por las que reñirte, como levantarse cuando entra una persona mayor; creo que es perder el tiempo.

John, 10 años

Mi padre siempre nos dice que seamos corteses (como si él fuera un ángel). Pero cada día cuando estamos comiendo (Especialmente cuando hay invitados), habla de cosas feas (Que no mencionaré). Pero Papá siempre me dice que no diga palabrotas. Pero le he oído decir cinco palabrotas en los últimos días. Cuando está conduciendo el coche, por alguna razón misteriosa se hurga la nariz. Pero siempre está encima de nosotros por estas cosas. Si os dijera algunas de las cosas que hacía cuando era niño podría hablar sin parar, así que mejor paro ahora.

Stephen

Mi padre a la hora de comer dice «para de hacer ese ruido», y hace más ruido que nadie.

Patricia, 9 años

¡Cuidado con los padres!
Los padres son otras madres.
Si enfadas a Mamá tienes a tu padre para tratar,
los padres son buenos para tener a mano,
cuando quieres ropa nueva.

Papá tiene sesiones de «ordenar» en
las horas más inesperadas
Papá tiene la voz más fuerte,
¡Cuidado con Papá!

Papá significa crema de afeitar,
loción para después del afeitado,
partido del día,
siestas el sábado por la tarde,
Papá significa... Papá.

Patricia, 13 años

A la cama. ¿Por qué?
Métete en la bañera. ¿Por qué?
Porque está sucio
Ve a ponerle la leche a Bobby
La cena está servida. ¿Qué hay?
Ven a ver, Oh ñam, ñam.
No piques.
¿Puede ver «Cannon»? ¡No!

Duncan, 9 años

*Simon
Perrin,
7 años*

　　Mi padre me dice que tire lo que no sirve para hacer más sitio, el cual lo llena inmediatamente con antigüedades.

Andrew, 12 años

Suave por dentro

A Papá le gusta nadar, leer, hacer cosas. Mi padre tiene la graciosa costumbre de decir pequeña madam desenfrenada. Mi padre es bonito por fuera y por dentro.

Siobhan

Mi padre es como la plastelina, es duro y serio, pero cuando hacemos algo como limpiar el suelo se vuelve blando y sonriente.

Gemma, 11 años

Me gusta mi padre porque cuando me riñe, lo cual no es frecuente, lo hace con una voz suave y yo no me siento herida.

Tracy Sims, 9 años

Los padres son gente majadera pero buenos de corazón. Son buenos de una forma distinta a las madres.

Amanda, 10 años

Sobre todo Mamá nos da amor y Papá hace lo mismo pero de una forma más brusca.

David Benge, 12 años

El problema con mi padre es que o está enfadado o es blando y bueno.

Guy

Mi padre es bastante bueno si te acercas a él con cuidado.

Fiona

En el siglo dieciocho un padre era duro por dentro y por fuera. Por los años veinte era duro por fuera pero blando por dentro. Hogaño es blando por dentro y por fuera.

M. Wickham-Jones, 13 años

Un padre es la gran y fuerte cabeza de la casa, el gran hombre por fuera cuyo interior es generalmente muy blando.

Stephen Thomas, 15 años

Un padre es un hombre que va por la casa con un gran bastón en una mano y amor en la otra.

Rayna, 12 años

Aunque sus caras pueden parecer estrictas,
y se puedan enfadar,
no nos olvidamos y debemos creer,
¡Que son grandes por todos sus años!

Susan, 11 años

Mi padre es un tipo enfadado.
Él grita mucho a veces.
Pero por dentro creo que no es tan malo.

James, 10 años

Mi padre es el mayor molestón que hay.
Pero su bondad
lo cambia todo.

Jane Livermore, 11 años

Nicholas, 8 años

Nada como el amor

Ser padre es un asunto serio.

Aysegul Corekci, 15 años

Un hombre se convierte en padre solo cuando su mujer da a luz un niño. Hasta entonces sólo es un hombre corriente. Cuando un hombre se convierte padre se convierte en el hombre con mayor responsabilidad del mundo.

Sandeep Sampat, 15 años

Mi padre es alegre pero a veces se sienta en su sillón, triste, y no nos dejaría por todas las riquezas del mundo.

Judy S. García, 9 años

Cuando tengamos un buen empleo no debemos olvidarnos de ellos porque cuando nosotros éramos pequeños no se olvidaron de nosotros. Cuando ellos estén viejos y enfermos no debemos dejarlos como a extraños.

Michael M. Rambert, 11 años

Robert Jones, 8 años

Grande, fuerte, atlético,
agudo, justo, comprensivo,
cariñoso, divertido, protector,
siempre ocupado con negocios.

Evan Green

Euan Lekcie, 7 años

Algunos padres lo dan todo menos amor, otros no dan más que amor.

Aysegul Corekci, 15 años

Yo le llamo un verdadero padre

Mi padre es un padre que cualquiera desearía. Har cualquier cosa. Cada domingo por la mañana mi padre me lleva al campo de fútbol a ver un partido o a jugar. Después de eso cuando llegamos a casa a lo mejor vamos a ver algún pariente o a dar una vuelta. Siempre se asegura de que llego al colegio temprano. Cuando vuelvo del colegio voy a la tienda con él y para hacerle compañía corto las patatas y pongo el pescado en harina también. Siempre me deja quedarme tarde por las noches. En mi cumpleaños siempre me da lo que quiero. Me deja ir de excursión con el colegio. Un día estaba llegando al colegio cuando me acordé de mi dinero para la excursión así que le llamé y se lo dije y me dijo que esperara en la estación para que me diera el dinero. Me ayuda a hacer cualquier cosa. Un día estaba haciendo una maqueta para el colegio no demasiado bien y cuando Papá llegó a casa la convirtió en una obra de arte me dijo que me levantara temprano al día siguiente para pintarla y cuando bajé a la mañana siguiente vi que le había puesto una primera capa de pintura para que cuando yo pintara con acuarelas no lo encontrara difícil. Él nunca rompe una promesa. Le pedí si me podía arreglar el reloj en Navidad en vez de tener un regalo. Yo le llamo un verdadero padre.

Steven Piponides

Mi padre es un hombre íntegro. Es leal a su familia y a su país. Mantiene buena disciplina en casa y todos l respetamos mucho. Si todos los padres fuesen como el mío qué maravilloso sería este mundo.

Joan Gunter, 15 años

Un homenaje a mi padre

No tenemos ninguna elección cuando se trata de padres, tenemos suerte o no la tenemos, y yo soy de los que han tenido suerte.

Mi padre está en los cuarenta, unos cinco pies de alto y quedándose un poco calvo por arriba. Siempre está diciendo que es el hombre más bien parecido de Bickley, en broma claro, siempre está de broma. De todas formas mi madre piensa que es guapo. Hay muchas cosas que me gustan de mi padre, no lo puedo recordar diciendo cosas malas de nadie, no te deja compadecerte de ti mismo. Si yo me quejara de tener que andar mucho y de que me dolieran las piernas, diría que a un hombre sin piernas le gustaría poder decir eso. No todos pensamos siempre en alguien que está peor que nosotros pero mi padre sí.

Todos tenemos una debilidad y la de mi padre es el chocolate. Mi madre dice que no es justo, comer chocolate como lo hace mi padre, y permanecer delgado. Siempre está listo para cualquier tipo de juego.

Sobre todo es bueno y amable. Todos le queremos mucho. Ya sé que se dice que todos tenemos defectos. Si mi padre tiene alguno son tan pocos que no se notan.

Susan Lewis, 11 años

Julia Watch

Dios guarde a nuestros padres tan buenos como han sido siempre.

Jane Moppel, 12 años